COURIR

Dans la même collection

L'étiquette moderne	3.95
Le langage des cartes	3.95
Exercices pour elle et lui	3.95
Comment jouer et gagner aux échecs	3.95
Réponses à vos problèmes de peau	3.95
Songes et présages	3.95
Caractères et tempéraments	3.95
Comment lire dans la main	3.95
Votre guide d'astrologie chinoise	3.95
200 Trucs pour vaincre le vague à l'âme	3.95
Comment méditer	3.95
Mangez bien et restez jeunes	3.95
Courir	3.95

COURIR !

Un guide complet à l'usage
des amateurs de course à pied

Par **Bronnie Krupis**

Tout ce qu'il faut savoir
sur la course à pied,
merveilleux moyen pour
se mettre en bonne
forme physique et
s'épanouir totalement.

Traduit par

Jacqueline Lenclud

ÉDITIONS SÉLECT

Dépôt légal :
Bibliothèque Nationale du Québec
Bibliothèque Nationale du Canada
Deuxième Trimestre 1981

Titre Original : Running
By : Bronnie Storch Krupis

Published by arrangement with
Dell Publishing, New York, N. Y., U. S. A.

ISBN : 2-89132-522-2
G 1263 M

SOMMAIRE

Pourquoi courir ?

Plus de six millions d'Américains courent et surmontent toutes sortes d'obstacles ce-faisant : les passants goguenards qui les interpellent, les chiens grincheux, leur propre fatigue et même les intempéries. Pourquoi ? Quelles sont les raisons qui les motivent et qu'est-ce qui les emplit d'un tel dynamisme ?

Il est de notoriété publique que la course à pied est un des sports qui concourent le plus à assurer un bon équilibre physique. On a démontré que cette simple activité peut :

- faire perdre du poids
- augmenter les capacités sexuelles
- apaiser les tensions nerveuses et éliminer le besoin de tranquillisants

- Améliorer sensiblement la ligne, la digestion, le teint et la circulation
- Aider à arrêter de fumer
- Diminuer le risque de durcissement des artères

Cette série impressionnante d'avantages devrait suffire à nous persuader de nous mettre tous à trotter mais il faut malheureusement remarquer que nous faisons rarement les choses pour l'unique raison qu'elles sont bonnes pour nous. Certains déclarent même que nous choisissons en général les occupations les plus frivoles, les plus oiseuses, les plus inutiles, et que cela nous serait égal de tomber raide-mort pourvu que ce soit en prenant du bon temps !

Un ingrédient de plus

Donc, en plus de la constatation évidente que la course à pied fait de nos corps des machines merveilleusement huilées, il nous faut un autre avantage en perspective. Et voilà le bonus, l'ingrédient magique qui pousse tant d'entre nous à partiquer ce sport rapide : la course produit une charge émotionnelle, un quelque chose de sublime, une éventuelle expérience profonde en notre esprit.

Quand on a l'occasion de s'entretenir avec des amateurs passionnés, ils décrivent une expérience analogue à «l'euphorie des drogués», «la béatitude absolue» «l'unification de l'âme et du corps». Beaucoup d'entre eux déclarent que pendant qu'ils courent ils atteignent un plateau sensoriel qui leur donne clarté de vision, intuition, liberté intérieure et parfois cela va jusqu'à une sorte de lumière spirituelle, de communion mystique. «Cela dépasse le simple plaisir» disent-ils. Cela ressemble davantage à une béatitude quasi divine, parfois crucifiante. Ils voient dans la course à pied un nettoyage de l'organisme, une stimulation de l'esprit, une activation des sens.

Ce n'est pas le but de ce livre que d'explorer ces divers phénomènes mentaux ; il veut simplement montrer qu'ils existent et surtout fournissent une motivation capitale : sous quelle forme expérimenterez-vous ce « voyage spirituel » ? La réponse est rigoureusement personnelle mais certainement cette perspective vous donnera la petite dose supplémentaire d'enthousiasme dont nous avons tous besoin pour accomplir une tâche qui exige une certaine discipline. Notez que la plupart des coureurs conviennent qu'il faut du temps pour que cet aspect se développe pleinement. Donc tentez sérieusement votre chance.

Revenons en arrière pour nous demander au moyen de quels processus la course à pied produit tous ces effets.

Trois types de bonne conditions physique

La bonne condition *musculaire* (en rapport avec la force et le tonus musculaire), la bonne condition du *squelette* (en relation avec la flexibilité), la bonne condition *cardiovasculaire* (dépendant de la vigueur du muscle cardiaque et de l'état satifaisant des vaisseaux).

1) Pour un meilleur développement de la musculature on préconise les exercices callisthéniques variés de la série levé-assis.

2) Pour une amélioration du squelette, ce sont les exercices de flexion et d'étirement.

3) Enfin pour le système cardiovasculaire, qui est le plus caché et le plus important puisque si l'on n'y veille pas il peut provoquer les pires désordres, il faut une série d'exercices tout à fait différents de ceux conseillés pour les deux premières catégories.

Exercices anaérobiques opposés aux exercices aérobiques

Il y a deux catégories spécifiques d'exercices. Ceux qu'on qualifie d'anaérobiques visent à améliorer la condition musculaire et celle du squelette, c'est à dire la force musculaire et la flexibilité. Le Yoga, les poids et haltères, et les exercices callisthéniques sont anaérobiques.

D'autre part il existe les exercices dits aérobiques, ceux qui améliorent l'oxygénation des tissus ; ce sont ceux qui exigent que l'on respire plus fort et plus profondément et durant lesquels le cœur bat plus rapidement et on transpire abondamment.

Cet effort physique développe les muscles du thorax et la capacité respiratoire ; le cœur devient plus résistant et devient capable, à chaque battement, de charrier une plus grande quantité de sang d'où de plus longs espacements entre ces battements et un pouls plus lent.

En même temps le nombre et la largeur des vaisseaux sanguins vont croître, ce qui empêche le durcissement néfaste des parois artérielles et l'hypertension. Il y a d'autres bienfaits : au fur et à mesure que tous vos tissus reçoivent une oxygénation accrue, votre santé s'améliore ; vous en ressentirez l'effet bénéfique sur votre tonus musculaire, sur votre teint qui va s'éclaircir ; vous vous tiendrez mieux ; vous brûlerez des calories et perdrez sans doute du poids sans avoir à rationner votre alimentation ; vous expérimenterez une sensation de bien-être et de calme, tous les jours de votre vie. Tels sont les heureuses conséquences, sur l'organisme, des exercices aérobiques dont les meilleurs exemples sont la course à pied, la marche, la bicyclette et la nage.

Pourquoi courir ?

Eh oui ! Pourquoi donc ? Nous avons mentionné plusieurs catégories de mouvements mais la course est le meilleur exercice, le plus facile, celui qui produit le plus rapidement des résultats. Cela ne demande aucun équipement spécial excepté une bonne paire de chaussures ; pas de local, pas d'aptitudes spéciales ni d'entraînement. On peut le pratiquer en solitaire ou en groupe, à n'importe quel moment, partout selon ses besoins et ses possibilités *personnels*.

Course et Jogging, quelle différence ?

Le coureur James Fixx dans son livre : *Manuel complet à l'usage du Coureur* dit : « Si vous avez l'impression que vous courez, même si vous allez très lentement, personne ne peut vous dire le contraire ». Beaucoup sont de cet avis tandis que d'autres signalent des différences réelles relatives plutôt à l'entraînement qu'à la vitesse.

Par exemple comme le jogging est en fait une course lente, son rythme ou tempo peut aisément engendrer l'ennui. Le coureur au contraire peut adopter des allures qui varient selon la distance qu'il veut parcourir ou la vitesse qu'il veut atteindre. L'apprentissage de la course ne ressemble pas du tout à celui du jogging.

Des deux c'est la course qui exige le plus d'effort aussi les résultats sont obtenus plus rapidement ; Même des gens habitués de longue date au jogging ne sont pas préparés à soutenir sur une longue distance l'effort de courir. Retenons ce parallèle : les coureurs peuvent faire du jogging mais les joggers ne peuvent pas forcément faire de la course.

Qui devrait courir ?

Je suis las d'entendre dire et répéter que la condition physique de l'Américain moyen est déplorable. Sans avoir à rabâcher les mêmes statistiques, nous devons admettre que quelques exercices aérobiques, sous une forme ou sous une autre, ne nous feraient pas de mal. À quelques exceptions près, nous devrions tous faire de la course à pied. La question qui me semble la plus pertinente est la suivante : qui *peut* courir ?

Réponse : quiconque jouit d'une santé normale est un coureur en puissance. Ni le sexe ni l'âge ne sont un handicap. D'ailleurs on a souvent pu observer que les femmes ont de par leur naturelle un style de course qui leur permet de parcourir de plus longues distances que les hommes sans avoir l'air de souffrir de la fatigue. Les enfants présentent l'avantage de s'adapter rapidement durant l'entraînement et la seule précaution à prendre est de leur enseigner à quel moment ils doivent s'arrêter ! Des gens d'un certain âge peuvent fréquemment parcourir des distances égales à celles atteintes par des coureurs qui sont de beaucoup leurs cadets mais pas à la même allure. Puisque c'est la continuité de l'effort qui compte, ils en retireront les mêmes bénéfices.

Comme c'est le cas pour la plupart des sports qui réclament des capacités organiques variées, notamment la mise en œuvre de muscles dont on ne s'est pas servi depuis longtemps, il est absolument essentiel de demander un examen complet à un médecin et de se soumettre à son avis. Il serait judicieux de s'adresser à un médecin qui soit lui-même un adepte de la course à pied et, par conséquent, au courant des recherches les plus actuelles sur les effets physiologiques de ce sport.

Quand vous irez passer ces tests, assurez-vous qu'on y inclue pesée, prise de la tension, radio thoracique, électrocardiogramme. Votre médecin peut y ajouter un test concernant les stress.

Test des stress

Ce simple test vise à mesurer votre système cardiovasculaire. Le médecin vous fait faire des exercices jusqu'à ce que la fatigue survienne ; pendant ce temps il surveille votre rythme cardiaque. Il le mesure au maximum de l'effort ainsi qu'au repos (avant de commencer). Et il verra également le temps qu'il vous faut pour reprendre votre rythme normal. Les informations ainsi obtenues permettront de connaître votre condition cardiovasculaire. Ces tests sont souvent pratiqués sur des personnes de plus de trente ans, sur les obèses, sur celles qui ont eu de l'hypertension dans le passé ou qui souffrent de maladies chroniques, telles que des affections pulmonaires ou des cardiopathies héréditaires.

Course à pied et tabac

Les deux sont compatibles bien que les fumeurs ne puissent courir aussi loin et aussi vite que les non-fumeurs. La fumée produit du monoxide de carbone qui prend la place de l'oxygène dans le sang. En fait cela est absolument contre-indiqué pour la course. On a pu constater cependant que des fumeurs qui se sont mis à courir voient diminuer leur besoin de fumer. Est-ce le résultat de l'apaisement des tensions ou la crainte de gâcher cette sensation d'avoir des poumons plus clairs et plus propres, on n'en sait rien. De toute façon la plus grande absorption d'oxygène du fait de la course peut contrebalancer les méfaits du tabac.

Précautions suggérées

1) Ne débutez pas un entraînement à la course quand vous relevez de maladie tels que la grippe ou même un mauvais rhume. Votre organisme affaibli est plus vulnérable.

2) Aguerrissez-vous progressivement. Rappelez-vous que ce qui compte c'est la continuité, pas la vitesse.

3) Ne vous imposez pas un effort trop important. Obéissez à votre corps quand il vous envoie le signal du stop.

Quand courir ?

Allons droit au fait : vous connaissez le dicton : « L'enfer est pavé de bonnes intentions ». Cela signifie, dans le domaine qui nous intéresse ici, que si nous ne faisons pas l'effort nécessaire pour nous mettre en train, si l'idée ne se concrétise pas et que le message de notre cerveau ne parvient pas à faire démarrer nos pieds : *rien ne se passera.* Rappelez-vous que de votre disposition initiale dépend en grande partie l'issue du combat. Il ne s'agit pas d'une potion amère que vous vous forceriez à ingurgiter ; c'est une activité, une aventure dont vous allez bénéficier et dont vous recueillerez les fruits tant sur le plan physique que sur le plan émotionnel. La course à pied est destinée à ce moi, en vous, qui veut développer au maximum ses potentialités physiologiques, sensorielles, mentales ; ce moi qui veut expérimenter cette euphorie et qui tend à son meilleur accomplissement dans cette vie.

Quand vous vous êtes clairement fixé le but, commencez par examiner d'un œil lucide et critique le programme de vos journées, vos habitudes, la façon dont vous menez votre existence. Quelque part dans ce tourbillon d'activités que vous appelez la vie quotidienne il y a sûrement le temps nécessaire. Cherchez et vous trouverez ; ce n'est pas sorcier de choisir deux heures par semaine pour pouvoir réaliser votre projet et c'est peu relativement à tous les avantages que vous en retirerez.

Beaucoup de gens trouvent que les premières heures de la matinée constituent le meilleur moment et le plus euphorisant. Cela perturbera moins votre organisation de vous lever un peu plus tôt. C'est également la partie de la journée où l'on est le plus tranquille et le moins gêné par les autres. En ville s'ajoute l'avantage d'une circulation moins intense (à la fois en ce qui concerne les autos et les piétons). Durant les journées chaudes et humides de l'été l'aube et la fin de soirée sont recommandées pour leur fraîcheur.

D'autres constatent qu'ils sont plutôt des amateurs de la nuit ; ils découvrent la paix et la tranquillité de ces heures où le monde s'achemine vers le sommeil ; ils admirent les étoiles et les lumières entrevues derrière les carreaux, aux façades des maisons noyées dans l'obscurité.

On peut également courir de la maison au bureau et inversement et cela peut représenter un gain de temps notable à une époque où la circulation automobile est une vraie calamité. Ainsi, vous commencez la journée sans vous sentir énervé(e).

De nombreuses personnes au régime estiment que « courir au moment du dîner » (comprenez : au lieu de dîner) est excellent pour la santé ; on bénéficie de ce fait d'une coupure au beau milieu d'une période de travail intensif et cela diminue l'appétit (voir à ce propos le chapitre « Pour avoir la ligne »). En plaçant votre heure de course à pied juste avant le repas le plus important vous évitez de vous suralimenter. Si vous choisissez l'heure qui précède le souper vous constaterez certainement qu'elle crée une bonne transition et vous repose des tensions du labeur quotidien.

La conclusion à tirer de ces diverses suggestions est que toute heure qui vous convient sera la bonne. Faites-en l'expérience. Peut-être déciderez-vous de ne pas toujours courir aux mêmes heures. Vous insérerez plus facilement cette activité dans votre emploi du temps et le changement empêchera que la monotonie ne s'installe.

Précautions suggérées

1) Pour courir attendez au moins deux heures après le repas.
2) Ne courez pas la vessie pleine.

Où courir ? Quels vêtements porter ?

OÙ COURIR ?

Dans le chapitre précédent on vous a prié de prêter attention au choix du meilleur moment ; à présent il vous faut jeter un regard aussi lucide sur les endroits où vous pouvez faire de la course à pied.

Pistes couvertes

Si vous choisissez le milieu de la journée, vous avez peut-être intérêt à courir sur une piste couverte, à la fois pour éviter l'encombrement des rues à cette heure-là et profiter des douches. D'ailleurs cela présente encore d'autres avantages : on n'a pas besoin de se préoccuper du temps ; on se rend mieux compte des distances et l'on a plus de chance de rencontrer d'autres débutants, ce qui peut être précieux quand on en est soi-même à ses premiers essais. Le désavantage de cette solution, c'est la monotonie qui peut engendrer très rapidement l'ennui.

Plein air

Si vous préférez courir sur les routes, évidemment vous avez un grand éventail de choix. Les gens matinaux peuvent courir sur le bord d'une route car ils sont sûrs de ne rencontrer guère d'obstacles. Beaucoup de coureurs préfèrent les allées des parcs publics ; au moins on évite le bruit des autos et l'odeur nauséabonde des gaz d'échappement.

Si vous courez dans la rue, allez à contre-courant de la circulation et soyez prêt(e) à vous garer rapidement. Rappelez-vous qu'un exercice aérobique, pour être efficace, doit être continu aussi, au cas où un feu rouge vous arrêterait, faites du sur-place lentement ou de petits cercles sur le trottoir jusqu'à ce que vous puissiez traverser.

Un terrain mou, tel un terrain de jeux ou une piste en plein air, est l'endroit idéal ; si dans votre localité il n'y a pas de piste entretenue par la municipalité, mettez-vous en quête de l'école la plus proche et demandez si leur piste est disponible à certaines heures pour les gens du dehors.

La plage peut être également une piste naturelle merveilleuse si l'accès en est facile pour vous. Le sable à la fois mouillé et ferme constitue le terrain le meilleur mais comme c'est un sol sans élasticité, au début vous aurez des difficultés ; l'environnement par sa beauté et sa tonicité font plus que compenser cet handicap.

Une large étendue de gazon bien tondu conviendrait à merveille, encore faudrait-il savoir où découvrir ce paradis et, si le gazon n'est pas parfaitement entretenu, il peut recéler de perfides obstacles : cailloux pointus, trous, crottes de chiens.

Une suggestion à proposer timidement car vous n'y serez pas à l'abri des regards étonnés des voisins, ce serait d'arpenter les corridors de votre immeuble.

Vous pourriez aussi recourir au sur-place ; si votre cœur bat à un rythme suffisamment rapide, vous en retirerez presque autant de bénéfice ; mais vous serez privé(e) de tout le côté amusement.

Vous êtes toujours à la recherche de la solution idéale ? Sortez donc un matin de bonne heure ou un soir, tâchez de découvrir d'autres coureurs et de leur demander où il y aurait un bon entraînement pour débutants.

Précautions suggérées

1) Si vous courez sur une piste (couverte ou en plein air), ne courez pas toujours dans la même direction. La plupart des pistes sont légèrement en dévers donc votre jambe extérieure ne touche pas le sol au même niveau que la jambe intérieure ; cette différence peut à la longue causer des problèmes.

2) Éviter les routes qui montent trop raide (collines) dans les débuts.

Comment mesurer la distance parcourue

Servez-vous d'un pédomètre, d'une bicyclette avec odomètre ou bien mesurez la distance au compteur dans votre auto. Vous pouvez également franchir une distance mesurée au préalable, chronomètre en main, pour calculer votre vitesse (disons par exemple un huit cents mètres en dix minutes) ; ensuite courez à la même allure pendant dix minutes sur le parcours choisi ; en ces dix minutes vous aurez approximativement parcouru vos huit cents mètres.

Dans certaines villes vous pouvez appeler l'organisme compétent pour vous informer de la longueur-type des pâtés de maisons. À New York, par exemple, 20 pâtés de maisons équivalent à 1 km 6.

QUE PORTER ?

L'important pour le choix du costume approprié c'est la simplicité, non l'élégance ; l'utilité pratique, non la mode. Ce qui ne veut pas dire que vous ne puissiez vous permettre un ensemble de sport très chic mais ce n'est pas l'essentiel, à moins que vous n'attachiez grand prix à l'esthétique. Il y a des coureurs passionnés qui, pour rien au monde, ne sortiraient de chez eux sans être impeccablement coiffés et sans un costume dont ils auront longuement choisi la couleur. C'est affaire de goût personnel, ce n'est pas indispensable.

Chaussures

Il faut que ce soit de bonnes chaussures qui vous aillent bien. C'est un point sur lequel il ne faut pas lésiner. Elles doivent être assez larges de talon pour assurer un ample point d'appui quand le pied touche le sol. Les meilleures possèdent des semelles à plusieurs épaisseurs (pas trop molles) pour amortir les chocs. Elles doivent être souples pour le bout des pieds. Vous devez vous sentir plus confortable que dans des chaussures de ville et il importe que vos orteils ne soient pas comprimés. Bref vous cherchez des chaussures qui vous assurent à la fois le confort, le support, et l'amortissement des chocs que vos pieds auront à subir pendant la course.

Il y a plusieurs marques de chaussures de course sur le marché dont les prix varient entre 20 et 40 dollars ; Les plus courantes sont les Adidas, New Balance, Nike, Puma et Tiger. Si vous avez l'habitude de courir sur piste, évitez les chaussures à pointes, prenez plutôt des chaussures avec des semelles à sculptures profondes.

Précautions suggérées

1) Il faut faire sécher lentement les chaussures mouillées en ayant soin de mettre des embauchoirs. Ne jamais faire sécher sur un radiateur sinon vous risquez de ne plus avoir entre les mains que deux objets rétrécis et d'une rigidité quasi cadavérique !
2) Brisez progressivement vos souliers neufs. Ne faites pas plus d'un kilomètre et demi par jour tant qu'ils n'ont pas été assouplis.
3) Quand vous allez acheter vos chaussures, essayez-les avec des chaussettes puisque vous en mettrez toujours avec, par la suite.

Chaussettes

Leur port est facultatif. Les puristes prétendent aimer le contact direct de la bonne chaussure de course. Par temps chaud elles sont évidemment inutiles.

Il y a pourtant quelques bonnes raisons pour en porter : elles absorbent la sueur et protègent les pieds contre le frottement et le risque d'ampoules. Quand, durant la canicule, l'asphalte devient brûlant la chaussette constitue une couche supplémentaire qui empêche la brûlure du sol d'atteindre la plante des pieds. La meilleure solution pour l'été est de mettre des chaussettes de coton et en hiver des laine et coton (compter deux paires).

Chemises et blousons

En ce domaine l'expérience prouve que le moins on se couvre, le mieux on se sent. Quand le temps est chaud, un tee-shirt de coton suffit en général ; il faut qu'il soit assez ample. Pour les jours particulièrement chauds vous pouvez en couper un très court pour bénéficier d'une ventilation supplémentaire. Beaucoup d'hommes courent torse nu quand le thermomètre monte au-dessus de vingt cinq degrés.

Quand la température rafraîchit, mettez plusieurs couches de vêtements légers plutôt qu'un très chaud ; l'isolation thermique résulte de la circulation de l'air entre les différentes couches. Commencez par mettre en plus un pull en coton à col roulé auquel vous ajouterez par la suite un blouson de nylon. Le nylon est particulièrement recommandé pour ses propriétés de rétention de la chaleur.

Si le froid s'aggrave, remplacez le tricot en coton par un chandail de laine fine sous le blouson en nylon. Quand le thermomètre descend au-dessous de -6 remplacez le blouson en nylon par un haut de survêtement avec ou sans capuchon.

Précaution suggérée

Il ne faut pas se couvrir exagérément car le corps transpire pendant la course et cette transpiration sera d'autant plus abondante que la couche de vêtements sera plus épaisse.

Pantalons

Là aussi le minimum est le mieux et vous vous couvrirez davantage au fur et à mesure que vous en sentirez le besoin. Par temps chaud des shorts de gymnastique suffisamment larges feront l'affaire ou n'importe quel modèle de shorts pourvu qu'ils ne vous serrent pas les jambes ni l'entre-jambes. Les jeans — même si on les coupe — sont en général trop raides à moins qu'il ne s'agisse d'un modèle conçu spécialement.

Pour l'hiver sont conseillés les maillots de danseurs ou les collants qui épousent parfaitement les mouvements du corps et donnent de la chaleur. L'avantage des maillots est qu'ils effacent les formes, soutiennent le corps et vous donnent l'impression d'être plus mince. Les caleçons longs ou les sous-vêtements thermiques sont également pratiques à porter sous les shorts quand il fait froid. Certains coureurs apprécient le pantalon de survêtement mais la largeur de celui-ci peut être gênante et entraver un peu la liberté des mouvements.

Quel que soit le costume choisi vous trouverez pratique d'y coudre une petite poche pour mettre votre clé, un peu de monnaie etc.

Précaution suggérée

Les costumes en tissu caoutchouté ne sont pas destinés aux coureurs. Ils peuvent occasionner une hypersudation dangereuse et même provoquer un coup de chaleur en plein hiver. N'EN PORTEZ SURTOUT PAS.

Chapeaux

Il faut prendre la tête en considération puisque c'est par là que 40% de la transpiration totale du corps s'évacue. Il est évident que vous n'avez besoin de rien quand il fait chaud ; certains mettent un bandeau en velours éponge (ou une vieille serviette-éponge découpée) qui maintient les cheveux en place et absorbent la sueur. D'autres portent une visière pour abriter les yeux du rayonnement solaire trop éblouissant.

Quand il fait un peu frais, un bandeau en laine sera amplement suffisant ; en hiver un bonnet en laine à visière — comme celui des marins qui font le quart — est l'idéal. On peut le porter les bords relevés ou couvrant les oreilles. Pendant les très grands froids les masques de skieurs sont parfaits car ils protègent le visage contre la morsure du froid et isolent bien la tête.

Gants

Mettez ce que vous avez à votre disposition ; les uns préfèrent les gants en laine, les autres, des mitaines. On en voit certains avec des gants de jardinage en coton ou même les mains enfouies dans des chaussettes en laine. On trouve sur le marché des gants thermiques.

Équipement pour la course en salle

L'équipement bon pour l'été est à choisir en ce cas à cause de la chaleur qui règne habituellement dans les gymnases.

Équipements pour courir la nuit

C'est une question de bon sens. À part les considérations de chaud ou de froid, l'essentiel pour courir la nuit est une bonne visibilité. Portez des vêtements de couleur claire et un blouson phosphorescent ; vous pouvez attacher également à vos chaussures et à vos shorts des bandes phosphorescentes ; j'ai vu un coureur qui était muni de réflecteurs de bicyclette.

Quelle que soit la méthode employée, soyez toujours prêt à vous mettre rapidement de côté ; mais si le besoin de vous garer intervient trop fréquemment ce genre de course ne devient plus souhaitable ; essayez d'autres moyens de signaler votre présence, changez de trajet ou revenez à la course de jour.

Autres équipements

Une montre munie d'une trotteuse suffit pour mesurer votre vitesse mais il y a beaucoup de gadgets plus sophistiqués qui pourraient vous être utiles : Un pédomètre est une petite machine qui mesure les distances qu'on parcourt à pied. Un chronographe ressemble à une montre — en fait c'en est une — avec deux ou trois aiguilles supplémentaires qui mesurent le temps écoulé. Vous pouvez également vous servir d'un chronomètre à déclic.

Couleurs en relation avec la psychologie

Le Dr George Sheean est cardiologue et spécialiste de la course à pied ; ses révélations concernant le sport ont été accueillies avec le plus grand intérêt. Il estime que la couleur des vêtements du coureur influe directement sur son psychisme ; il suggère de ce fait que les coureurs choisissent le rouge dynamique et le jaune joyeux, le bleu serein ou l'orange optimiste. D'où nous pouvons conclure qu'il faut exclure le noir de notre habillement pour la course à pied !

Précaution suggérée

Lavez tout votre équipement après chaque séance ; sinon les vêtements imprégnés de sueur sentiront mauvais et deviendront raides, ce qui est bien inconfortable.

Pour s'échauffer

Faire des exercices pour s'échauffer avant de se mettre à courir, ce n'est pas une éventualité mais une obligation. C'est beaucoup demander à votre organisme que de passer sans transition d'une inactivité relative, associée à de multiples tensions, à une activité sportive intense. Les exercices en question vont éveiller progressivement votre système musculaire et votre système cardiovasculaire. Quand l'organisme a été préparé, il est bien plus apte à fonctionner efficacement et il risque moins les accidents tels que des ligaments arrachés ou des élongations musculaires.

Alors que la course à pied améliore à bien des égards notre condition physique, elle raidit par ailleurs certains muscles, les contracte et les raccourcit. Quel que soit le sport que vous pratiquiez le même phénomène se produira : pour chaque série de muscles qui vont se mettre au travail, la série antagoniste sera affaiblie ; les exercices spécifiquement choisis pour les coureurs contribueront à prévenir ce déséquilibre.

La course diminue notamment la flexibilité, c'est à dire la capacité du corps à se plier et à effectuer aisément des rotations. Il est donc de la plus haute importance de faire des exercices d'extension. Les six zônes spécialement concernées sont : les muscles des mollets les tendons d'Achille, les tendons des jarrets, les muscles du bas du dos, ceux du devant du tibia, les quadriceps, (les longs muscles qui descendent le long de la partie antérieure des cuisses) et les muscles de l'estomac (antagonistes de ceux du dos).

Ces exercices de mise en train sont également utiles parce qu'ils élèvent la température du corps et accélèrent la circulation. Quand vous vous mettez à transpirer c'est le signe que l'exercice fait son effet.

Les exercices indiqués ci-dessous vont faire travailler les muscles dont nous avons dit qu'ils requéraient une attention spéciale. Comptez 10 à 20 minutes avant de vouloir commencer à marcher ou à courir.

EXERCICES D'ÉCHAUFFEMENT À PRATIQUER AVANT LA COURSE

Muscles des mollets/tendons d'Achille

Mettez-vous debout face à un mur ou à une porte, les paumes à plat contre le mur, à hauteur des épaules, les orteils touchant le mur. Sans remuer le pied droit, reculez le gauche d'une cinquantaine de centimètres. Les deux jambes doivent rester tendues. Fléchissez lentement la jambe droite jusqu'à ce que vous sentiez s'exercer une notable traction s'exercer sur votre mollet gauche. Gardez cette position pendant 10 secondes puis redressez le genou droit. Répéter cinq fois l'exercice. Changez de pied et recommencez.

Muscles des jarrets

Debout, les pieds légèrement écartés, les bras le long du corps. Fléchissez le buste et attrapez vos chevilles (ou vos mollets si vous ne parvenez pas à atteindre les chevilles) par derrière. Laissez tomber la tête et approchez-la lentement le plus près possible des genoux jusqu'à ce que vous sentiez la traction sur vos muscles derrière les jambes. Tenez la position 10 secondes. Redressez lentement la colonne vertébrale pour reprendre la position initiale. Répétez cinq fois cet exercice.

Bas du dos

Asseyez-vous sur le plancher, les jambes allongées devant vous. Fléchissez le buste et touchez les genoux de la tête en saisissant en même temps les plantes des pieds (ou les chevilles si vous ne pouvez aller plus loin). Votre dos doit être arrondi. Maintenant en continuant à tenir vos plantes de pieds, relevez la tête et essayez de redresser le dos. Essayez de le tenir bien droit. Le mouvement doit partir du bas du dos ; gardez les genoux bien tendus. Tenez la position 10 secondes. Fléchissez à nouveau, la tête sur les genoux. Répétez cinq fois.

Quadriceps

Debout les jambes rapprochées, les orteils en avant. Tenez-vous à une chaise de la main droite ; montez sur la pointe des pieds ; levez le bras gauche droit devant vous, fléchissez les genoux, le plus bas possible, lentement en gardant le dos droit et remontez sur la pointe des pieds. Répétez huit fois.

Estomac

Allongé à plat sur le dos, les mains jointes sous la tête, les coudes redressés vers le plafond, les genoux pliés, les pieds reposant à plat sur le sol. Asseyez-vous en relevant le tronc et en vous aidant avec les coudes. Sans bouger les pieds revenez à la position du départ. À recommencer de dix à vingt fois, si possible.

Muscles devant les tibias

Asseyez-vous les jambes allongés devant vous, le dos droit et les paumes derrière les fesses. Étirez les pieds en pointant les orteils le plus loin possible ; vous devez sentir la traction sur vos muscles. Répétez vingt fois.

Quadriceps, muscles des jarrets et muscles des mollets

Debout, les jambes rapprochées, les bras le long du corps ; fléchissez le buste et touchez le sol du bout des doigts. En gardant ce contact avec le sol, fléchissez les genoux et sautez quatre fois en comptant lentement ; redressez lentement les jambes en serrant les genoux et en comptant jusqu'à quatre. Répétez dix fois

Nota : si vous ne pouvez tendre les jambes complètement, partez d'une position où le genou sera légèrement fléchi.

Après la course

Ne cessez jamais brusquement une activité physique intense. Passez au moins dix minutes à marcher à pas lents ou à faire certains des exercices d'extension ; résistez à l'envie de vous asseoir ou de vous coucher car vous risqueriez de perdre connaissance à cause d'une irrigation cérébrale insuffisante. Si vous ne pouvez constater par vous-même que vous êtes revenu à un rythme cardiaque normal, comptez vos pulsations cinq minutes après avoir cessé de courir : tâtez votre pouls au poignet ou dans le cou, de part et d'autre de la pomme d'Adam. Prenez une montre à trotteuse, comptez les pulsations pendant 10 secondes et multipliez par 6, vous obtiendrez votre rythme à la minute. Si le nombre est supérieur à 120, c'est que vous avez fait un effort exagéré : la prochaine fois allez plus lentement.

Style de la course

Chacun a son style personnel, spontané, et c'est en général le meilleur. Quand on parle de la façon de courir on emploie rarement l'épithète « gracieuse ». Mais si vous faites les mouvements qui vous viennent naturellement, vous parvenez sans doute à courir comme il convient, sans tension, sans inhibition, avec une allure dégagée, un pas rythmé, aisé.

Cependant il arrive que bien des coureurs remplacent leur style spontané par des mouvements appris et, de ce fait, contraints. Cela peut se corriger ; surveillez donc votre façon de courir pour voir si vous avez contracté de mauvaises habitudes qui provoquent tensions inutiles et déperdition d'énergie.

Voici un questionnaire qui vous permettra de rectifier certaines erreurs.

1) Vous tenez-vous droit avec juste une légère inclinaison du corps vers l'avant ?

2) Tenez-vous la tête droite et la bouche ouverte pour inspirer autant d'air qu'il vous est besoin ?

3) Vos avant-bras sont-ils presque parallèles au sol ?

4) Vos mains sont-elles au niveau de votre taille et *souplement* fermées ?

5) Évitez-vous de laisser aller vos bras dans tous les sens ou de bouger exagérément les épaules ? Vos bras se balancent-ils d'un mouvement naturel ?

6) Votre respiration vient-elle de l'abdomen plutôt que de la poitrine (Si vous respirez comme il faut votre ventre doit se gonfler à l'inspiration et s'aplatir durant l'expiration).

7) Est-ce votre talon qui touche en premier le sol, vous permettant de rouler en avant et par conséquent de « décoller » à partir de la plante du pied ? (excluez absolument la course sur la pointe des pieds, c'est dangereux).

8) Vos pieds sont-ils de préférence *sous* vous et non en avant ? Pour cela ne faites pas de trop longues enjambées — mieux vaut de *trop petites* que de *trop grandes.*

9) Vos genoux sont-ils légèrement fléchis pendant toute la durée de la course ?

10) La pointe de vos pieds est-elle toujours orientée vers l'avant ?

11) Votre corps est-il détendu et votre visage n'est-il pas crispé par une grimace ?

Ces questions vous indiquent les différents éléments constituant la position idéale du coureur, celle qui le met dans les meilleures conditions d'efficacité et d'économie d'énergie. Bien des coureurs de fond et de vitesse ont un style qui contredit ces principes, sans pour autant que cela constitue un obstacle à leurs performances ou un risque pour leur condition physique. Rappelez-vous que le style est quelque chose de très personnel ; faites les mouvements qui vous viennent naturellement s'ils vous semblent efficaces ; sinon faites ceux qui sont efficaces jusqu'à ce qu'ils vous deviennent naturels.

Voici deux méthodes pour contrôler votre style : courez avec le soleil dans le dos et observez votre ombre ou demandez simplement à un autre coureur de vous dire ce qu'il en pense.

À quelle allure ?

La condition d'une bonne course est la décontraction ; la mise en garde : « Entraînez-vous, ne forcez pas » s'adresse particulièrement aux débutants ;

Évitez l'exaltation. La vitesse est un problème important et chaque personne doit chercher son rythme propre. On encourage toujours les débutants à user du « test-conversation ». Ce qui signifie qu'on choisit une allure qui permet de tenir une conversation avec son compagnon. Pour commencer on peut marcher lentement. Si vous vous essoufflez ou si vous respirez bruyamment, c'est le signe qu'il vous faut ralentir.

Programme à suivre

Nous sommes arrivés au stade où vous vous êtes fixé le moment et le lieu de votre course à pied ; où vous avez pris conscience du style à adopter, des principes à suivre, de ce qu'il faut porter comme vêtements ; où vous avez fait les exercices de mise en train ; votre corps envoie le signal : « tout est fin prêt ! » Que vous reste-t-il à faire ?

Eh bien c'est le moment de regarder le programme de course à pied mis au point comme partie intégrante de la préparation au Service Armé mais qui a été adapté aux hommes et aux femmes ordinaires entre 17 et 60 ans. Cela vous conviendra, que vous soyez dans une forme éblouissante ou dans une forme lamentable. Encore mieux : il suffit de quelques heures par semaine pour atteindre une condition physique de haut niveau.

Ne sautez par-dessus aucune étape. Si cela vous paraît trop facile, franchissez les étapes plus rapidement jusqu'à ce que vous parveniez à un seuil qui vous demande un effort plus intense. Vous vous sentirez fatigué(e) lorsque vous aurez atteint votre niveau. Après une nuit de repos vous devez vous sentir tout à fait dispos et rénové.

Ce plan de course est un programme de quinze jours soigneusement étudié, qui doit vous amener progressivement à y consacrer de plus en plus de temps et à franchir des distances de plus en plus grandes. Il comprend trois stades : le premier ou Étape Préparatoire vise à vous donner de la résistance ; le second ou Étape d'entraînement vous aide en plus à acquérir de la force musculaire et — plus important encore — une capacité cardiovasculaire accrue.

Lisez attentivement les tableaux ci-dessous et suivez-les à la lettre en tenant compte de ce qui est indiqué pour votre sexe et votre âge. La directive marcher/courir signifie que vous pouvez combiner les deux disciplines dans la proportion que vous désirez, du moment que vous couvrez la distance indiquée dans le temps voulu. À partir de la 10e semaine il vous sera demandé de Courir et Marcher/courir ce qui signifie que vous devez alterner une course à pied d'1 km 6 deux fois par semaine avec 2 km 4 de marcher/courir deux fois par semaine.

Vous atteindrez l'Étape dite d'Entretien vers la 16e semaine. Certains prennent plus de temps, estimant qu'ils ont intérêt à passer des semaines supplémentaires à un niveau ou à un autre. Basez-vous sur ce que vous ressentez, allez au rythme qui vous convient ; il ne faut surtout pas que vous vous sentiez surmené. Une fois que vous avez atteint l'Entretien, vous pouvez garder indéfiniment le même programme ; bien que chaque programme journalier soit différent, le total de la semaine s'élève toujours jusqu'à un nombre de kilomètres compris entre 11 et 16.

Dites-vous bien que les premières semaines ne seront pas faciles. Vous vous sentirez fatigué(e), peut-être découragé(e). Les avantages que vous escomptez de ces efforts ne seront pas encore visibles ; ils le seront certainement moins que la lassitude. C'est le moment où vous devez renouveler énergiquement vos résolutions, si vous voulez récolter les fruits attendus.

Vous vous apercevrez que les résultats s'améliorent par bonds, les progrès se font sentir par à-coups ; ce qu'on ne parvenait pas à faire, voilà que le lendemain on s'en tire presque sans effort. Quand cela vous arrivera, vous commencerez à expérimenter ce à quoi l'on fait allusion en parlant de l'euphorie du coureur.

Précautions suggrées

1) Ne réagissez pas à cette impression d'euphorie en voulant trop en faire. Collez au programme sans sauter par-dessus les étapes.

2) Stoppez immédiatement tout exercice si vous ressentez le moindre étouffement, la moindre douleur dans la poitrine, un essoufflement exagéré, des vertiges ou des nausées, une soudaine faiblesse. La prochaine fois ralentissez votre allure et, si ces malaises se renouvellent, consultez votre médecin.

Étape préparatoire

Hommes au-dessous de 40 ans

Semaine	*Méthode*	*Kilomètres*	*Minutes*	*Séances Hebd.*
1	Marcher	1,6	à volonté	3
2	Marcher	1,6	13:00	4
3	Marcher / Courir	1,6	11:45	3
4	Marcher / Courir	1,6	11:45	4
5	Marcher / Courir	1,6	11:00	3
6	Marcher / Courir	1,6	10:00	3

Hommes au-dessus de 40 et femmes au-dessous de 40

Semaine	*Méthode*	*Kilomètres*	*Minutes*	*Séances Hebd.*
1	Marcher	1,6	à volonté	3
2	Marcher	1,6	14:00	4
3	Marcher / Courir	1,6	12:45	3
4	Marcher / Courir	1,6	12:45	4
5	Marcher / Courir	1,6	12:00	3
6	Marcher / Courir	1,6	11:00	3

Femmes au-dessus de 40

Semaine	*Méthode*	*Kilomètres*	*Minutes*	*Séances Hebd.*
1	Marcher	1,6	à volonté	3
2	Marcher	1,6	15:00	4
3	Marcher	1,6	13:45	3
4	Marcher / Courir	1,6	13:45	4
5	Marcher / Courir	1,6	13:00	3
6	Marcher / Courir	1,6	12:00	3

Étape d'entrainement

Hommes au-dessous de 40

Semaine	*Méthode*	*Kilomètres*	*Minutes*	*Séances Hebd.*
7	Courir	1,6	9:45	3
8	Courir	1,6	9:30	3
9	Courir	1,6	9:30	4
10	Courir	1,6	9:15	2
	Marcher / Courir	2,4	15:00	2
11	Courir	1,6	9:00	2
	Marcher / Courir	2,4	14:00	2
12	Courir	1,6	9:00	3
	Marcher / Courir	2,4	13:00	2
13	Courir	1,6	8:30	2
	Courir	2,4	13:00	2
14	Courir	2,4	13:00	2
	Courir	3,2	17:00	1
15	Courir	1,6	8:30	2
	Courir	2,4	13:00	2
	Courir	3,2	17:00	1

Étape d'entraînement (Suite)

Hommes au-dessus de 40 et Femmes au-dessous de 40

Semaine	*Méthode*	*Kilomètres*	*Minutes*	*Séances Hebd.*
7	Courir	1,6	10:45	3
8	Courir	1,6	10:30	3
9	Courir	1,6	10:30	4
10	Courir	1,6	10:15	2
	Marcher / Courir	2,4	16:30	2
11	Courir	1,6	10:00	2
	Marcher / Courir	2,4	15:30	2
12	Courir	1,6	10:00	3
	Marcher / Courir	2,4	14:30	2
13	Courir	1,6	9:30	2
	Courir	2,4	14:30	2
14	Courir	2,4	14:30	2
	Courir	3,2	19:00	1
15	Courir	1,6	9:30	2
	Courir	2,4	14:30	2
	Courir	3,2	19:00	1

Étape d'entraînement (Suite)

Femmes au-dessus de 40

Semaine	*Méthode*	*Kilomètres*	*Minutes*	*Séances Hebd.*
7	Courir	1,6	11:45	3
8	Courir	1,6	11:30	3
9	Courir	1,6	11:30	4
10	Courir	1,6	11:15	2
	Marcher / Courir	2,4	18:00	2
11	Courir	1,6	11:00	2
	Marcher / Courir	2,4	17:00	2
12	Courir	1,6	11:00	3
	Marcher / Courir	2,4	16:00	2
13	Courir	1,6	10:30	2
	Courir	2,4	16:00	2
14	Courir	2,4	16:00	2
	Courir	3,2	21:00	1
15	Courir	1,6	10:30	2
	Courir	2,4	16:00	2
	Courir	3,6	21:00	1

Étape d'entretien

Méthode	*Kilomètres*	*Hommes au dessous 40*	*Hommes 40 + Femmes–40*	*Femmes 40 +*
Courir	1,6	8.30*	9:30*	10.30*
Courir	2,4	13.00	14:30	16:00
Courir	3,2	17.00	19:00	21.00
Courir	4	21.30	24:00	26.30
Courir	4,8	25.30	28.30	31.30

* Nombres représentant le temps en minutes

Programme pour les jours de mauvais temps

Quand le temps est mauvais on peut remplacer l'entraînement normal par du sur-place ; suivez les indications de temps ci-dessous correspondant à chaque distance de 1,6 km demandée.

ÉTAPE PRÉPARATOIRE : 75 pas-minute pendant 10 1/2 minutes

ÉTAPE D'ENTRAINEMENT : 75 pas-minute pendant 13 minutes

ÉTAPE D'ENTRETIEN : 75 pas-minute pendant 15 1/2 minutes

Tableau indiquant les progrès durant l'entraînement

Notez vos temps personnels sur ce tableau. Les cases ombrées montrent le nombre de séances hebdomadaires où vous devez courir selon ce que vous indique la rubrique correspondante : M/C = Marcher/Courir. C = Courir. La distance en kilomètres est indiquée par le nombre inscrit dans les cases de la deuxième colonne. Si vous avez besoin de semaines supplémentaires pour mener jusqu'au bout le programme de l'entraînement, recopiez ce tableau en adaptant à vos progrès personnels et à votre rythme propre.

		1	2	3	4	5
1	M-1,6					
2	M-1,6					
3	M/C-1,6					
4	M/C-1,6					
5	M/C-1,6					
6	M/C-1,6					
7	C-1,6					
8	C-1,6					
9	C-1,6					
10	C-1,6					
	M/C-2,4					
11	C-1,6					
	M/C-2,4					
12	C-1,6					
	M/C-2,4					
13	C-1,6					
	M/C-2,4					
14	C-2,4					
	C-3,2					
15	C-1,6					
	C-2,4					
	C-3,2					

Aux prises avec les éléments

Si vous viviez dans une contrée où vous jouiriez chaque jour d'une température printanière de 18° avec juste ce qu'il faut de brise rafraîchissante, vous seriez au paradis des coureurs. Si, en plus, tout trafic automobile était supprimé et que tous les chiens ou les passants que vous croiseriez se contentaient d'un cordial signe de tête, ce serait béatitude absolue. Hélas ! Personne, à ma connaissance, n'a découvert ce Royaume d'Utopie. Donc il ne vous reste plus qu'à prendre votre parti de cette lutte contre les éléments à laquelle un coureur ne peut échapper. Il faut tenir compte de tous les obstacles, notamment de toutes les variations de l'atmosphère.

Le froid

Si vous êtes convenablement couvert, c'est le froid qui est le moins gênant pour vous. Rappelez-vous qu'il ne faut pas vous emmitoufler dans des vêtements épais mais qu'il est préférable de revêtir plusieurs couches de vêtements légers. Pour plus de précision voir ci-dessus le chapitre consacré à cette question.

La chaleur

Quand la température devient torride, la course devient risquée. Le principal des dangers est la déshydratation, c'est à dire la déperdition de l'eau contenue dans l'organisme par suite de la transpiration. Buvez plus d'eau que d'habitude avant de commencer l'entraînement. Certains coureurs, surtout les coureurs de fond, s'aspergent avant la course. Sinon prenez des comprimés de sel (bien que ceux-ci puissent provoquer des nausées).

Comme nous l'avons expliqué plus haut les exercices de mise en train ont en partie pour but d'augmenter progressivement la température du corps donc n'en faites que le minimum nécessaire pour décontracter vos muscles.

Si possible choisissez un moment de la journée où

la chaleur est moins intense, tôt le matin ou tard le soir et évidemment ne vous couvrez pas trop.

Précaution suggérée

Quand il y a une brusque hausse de température, l'organisme a besoin d'une semaine pour s'y adapter. Ne cessez pas de courir mais ralentissez l'allure.

Le vent

Vous pouvez tirer profit du facteur-vent si vous courez dans son sens au lieu de courir contre le vent. Mais à un moment ou à un autre vous ne pourrez éviter l'affrontement. En ce cas, baissez la tête et avancez en remuant les bras plus vigoureusement que d'habitude.

La pluie

La pluie ne doit pas vous empêcher de courir ; s'il fait très chaud la pluie présente même un avantage ; portez un blouson en nylon léger et imperméable.

Neige et glace

Quand le verglas risque de devenir dangereux faites de la course en salle. Voyez le programme pour les jours de mauvais temps qui se trouve à la suite du programme général.

Altitude

Si, par exemple vous habitez sur le côte (0 mètre au-dessus du niveau de la mer) et que brusquement vous vous trouviez à Mexico (plus de 2 000 m au-dessus du niveau de la mer), qu'allez-vous faire ? Il faudra, sachez-le, que vous ayez du temps pour vous adapter. Même des coureurs en grande forme peuvent se sentir essoufflés rien qu'en montant un escalier.

Primo : marchez ou courez beaucoup plus lentement que de coutume et limitez vos activités les premiers jours. Secundo : alimentez-vous légèrement les premières vingt-quatre heures et prenez la nuit entière de repos. En principe il faut une semaine environ pour s'adapter à un changement d'altitude de 1 000 m.

Nota : Si vous redescendez à votre altitude zéro votre programme de course habituel, au moins les deux premières semaines, vous paraîtra d'une facilité enfantine.

Nous n'avons aucun pouvoir de contrôle sur les conditions atmosphériques ; mais il y a d'autres domaines où nous pouvons exercer un certain choix.

Les gens

Personne n'a encore pu m'expliquer d'une façon rationnelle pourquoi à la vue d'un coureur des gens apparemment normaux deviennent de vrais casse-pieds avec leurs interpellations inconsidérées. Comment vous en débarrasser ? C'est ce qu'il vous faut trouver vous-même mais les méthodes le plus souvent utilisées sont : faire comme si on ne les voyait pas ; leur répondre par des paroles ou des gestes appropriés ; les étonner par une grande cordialité ou des plaisanteries. (Cela parfois les énerve au point de les réduire au silence).

Les chiens

Là encore on s'aperçoit que de charmants petits quadrupèdes peuvent se changer en de perfides monstres. En prévision de ces attaques vous pouvez vous munir d'un bâton ou d'une canne de petite dimension, de poids plume mais qui puisse faire peur. Vous pouvez également lancer une pierre ou un bout de bois au loin dans l'espoir que le chien (de chasse) ira le chercher ! Parfois le seul fait de faire semblant de lancer un objet opère une diversion et vous pouvez en profiter pour filer. Quant à moi, j'opte pour la ligne de moindre résistance, d'autant plus que les chiens sentent immédiatement que j'ai peur d'eux ; je traverse la rue et abandonne la place au toutou grincheux. S'il se retrouve régulièrement sur ma route, je change de circuit.

Course de nuit

Voici un domaine où le plus grand bon sens est de rigueur. Courez toujours face au sens de la circulation et portez des couleurs claires plus quelque chose de phosphorescent, étoffe ou bande. Faites constamment attention et soyez toujours prêt à bondir de côté pour éviter le conducteur distrait.

Pendant que nous sommes sur ce sujet une recommandation de plus est nécessaire : ne choisissez pas des zônes urbaines particulièrement isolées ou de mauvaise réputation au point de vue sécurité ; par exemple moi qui habite New York jamais je n'irais courir dans les rues désertes du quartier de Wall-Street aux alentours de minuit ; je connais des coureurs très rapides qui prétendent adorer courir dans les rues désertes et mal famées ; ils se figurent qu'ils pourraient aisément échapper aux assaillants grâce à leur célérité. Pour les femmes, je conseille de se choisir un compagnon si elles veulent courir la nuit.

Pour les moments où l'on a envie de tout lâcher

Tous les coureurs, même les plus passionnés, connaissent des jours et des semaines de découragement. C'est le cas notamment des débutants mais cela peut arriver également au niveau de la course d'entretien. Ayant atteint leur but initial, ils perdent un peu de leur enthousiasme. Vous trouverez ci-dessous quelques suggestions destinées à vous permettre de reprendre courage, quand vous traversez ces périodes de désenchantement.

* Essayez de varier vos trajets et de modifier votre programme pour éviter la monotonie.
* Marquez vos performances, y-compris les statistiques de temps et de distance.
* Ayez un calepin supplémentaire pour tenir votre «journal» de bord, avec les indications météoro-

logiques, le chemin suivi, les gens rencontrés, les incidents de route.

* Inscrivez les distances franchies sur une carte de géographie, ce qui vous permettra d'imaginer un périple correspondant sur les routes du monde.

* Choisissez pour courir l'heure où vous avez le plus de chance de rencontrer des gens que vous aimez bien.

* Prenez rendez-vous pour courir avec un compagnon. Choisissez des gens qui ont besoin de votre émulation ! C'est presque meilleur pour vous que ceux qui vous encouragent. Le fait de savoir que quelqu'un compte sur votre aide peut être la meilleure incitation à sortir de chez vous.

* Documentez-vous sur la course. On a beaucoup écrit sur ce sujet. Abonnez-vous à une revue spécialisée.

* Si vous aimez la compétition, n'hésitez pas à vous inscrire à une manifestation sportive locale.

* Ne vous comparez pas à d'autres coureurs bien que vous puissiez peut-être vous engager dans une compétition amicale avec un ami qui serait du même niveau.

* Prévoyez les circonstances où vous risquez de connaître le creux de la vague ; ainsi vous aurez au moins la consolation de savoir que vous n'êtes pas le seul responsable : Même si à ces moments-

là vous en faites moins, ne vous sentez pas coupable. C'est toujours mieux que rien.

* Pour conclure : n'abandonnez pas. Si aujourd'hui cela vous a semblé pénible, cela ira mieux après, peut-être même dès demain.

La grandissime récompense : avoir la ligne !

Voici d'excellentes nouvelles : la course est ce qu'on fait de meilleur pour amincir. Même si vous ne changez pas votre régime d'un iota, vous êtes assuré(e) de perdre des kilos et de changer de silhouette. Ces kilos superflus peuvent sembler disparaître à une allure de tortue ; pourtant très vite vous aurez l'air plus mince, plus musclé, en meilleure forme physique, et plus dynamique. Cela est dû en partie à ce que vous brûlez plus de calories qu'avant de vous être mis à la course à pied.

Certaines études ont montré que la course active également le processus digestif : la nourriture demeure moins longtemps dans l'estomac, empêchant ainsi l'absorption des calories. Un autre phénomène intéressant est le suivant : un exercice physique intense a une action modératrice sur l'appétit, au lieu de le stimuler c'est pourquoi les gens qui font un régime ont intérêt à mettre la course juste avant leur repas principal ; certaines personnes peuvent même courir au lieu de déjeûner.

Un autre raison de cette perte de poids est due à l'effet calmant que la course a sur le système nerveux. Une personne moins tendue, plus calme, cèdera moins au besoin impulsif de manger. Bien sûr le succès stimule : une fois que vous aurez pris plaisir à contempler votre nouvelle ligne vous serez moins enclin(e) à vous bourrer de nourritures qui viendraient contrebalancer vos efforts d'hier.

Beaucoup de coureurs sont minces ; les kilos de trop diminuent la résistance et forcent le cœur à fournir un travail plus intense. En combinant un régime alimentaire de votre choix, surtout un régime anticalories, avec un programme de course à pied vous pouvez accélérer la perte de poids et atteindre plus vite le but que vous vous êtes fixé. Dès que vous êtes en possession de la ligne et du poids désirés l'immense avantage est que vous les conserverez aussi longtemps que vous observerez votre programme d'entretien et que vous vous alimenterez raisonnablement.

Nota : des tests ont prouvé que la combustion de calories n'est pas en relation avec la vitesse mais avec la *continuité*, l'observance régulière d'un programme avec des distances bien définies. Ne changez pas l'allure qui vous convient sous prétexte d'accélérer votre perte de poids.

Quel régime adopter

Vous me croirez si vous voulez mais la course n'exige pas une alimentation riche en protéines. Certains coureurs de marathon ont constaté que d'absorber des hydrates de carbone avant une compétition de vitesse leur donne une force supplémentaire. Je ne vous conseillerai pas de vous bourrer de pasta. Je mentionne ce fait uniquement pour porter l'accent sur le fait que vous n'avez pas besoin de prendre davantage de protéines. Vous avez besoin de manger ce qu'il est normal de choisir, à savoir des menus bien équilibrés en viande, poisson, volaille, légumes frais, fruits, œufs et céréales. Si votre alimentation est «correcte», vous n'avez nul besoin de vitamines en supplément. Vous pouvez adopter également un régime végétarien. Des études scientifiques rigoureuses ont montré qu'un régime végétarien bien équilibré fournit toute l'énergie nécessaire.

La seule chose à laquelle les coureurs doivent prêter attention dans leur régime quotidien est l'absorption de liquides en quantité plus importante pour remplacer la déperdition occasionnée par la transpiration. Buvez de l'eau, des jus de fruit, de la soupe, des sodas, même de la bière. Prenez garde : il est bon pour vous de boire dès la fin de la course mais attendez d'avoir faim pour manger. Celle-ci ne vous viendra peut-être qu'une heure plus tard. Vous pourrez alors manger autant que d'habitude.

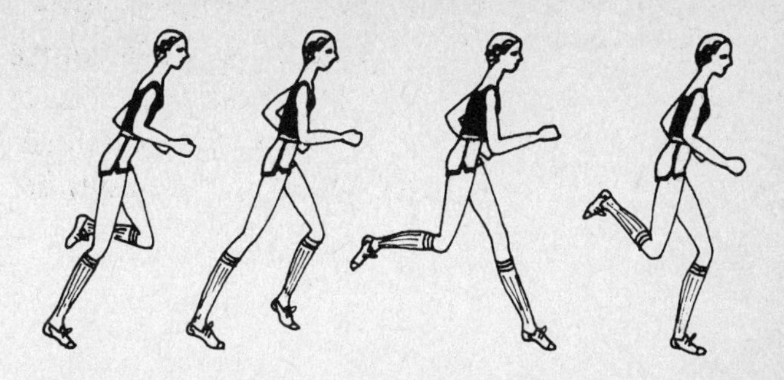

Risques et remèdes

Le vieux dicton « Mieux vaut prévenir que guérir » s'applique à merveille au domaine de la course à pied. La plupart des mesures de prudence ont été déjà citées mais mieux vaut les redire.

* La nuit, courez toujours face au sens de la circulation. Restez vigilants ; portez des vêtements de couleurs claires ou phosphorescents.
* Jamais de surmenage : ni excès de kilomètres ni excès de rapidité.
* Connaissez les symptômes qui signifient « arrêtez ! » = douleurs dans la poitrine, nausées, essoufflement exagéré, malaises précurseurs de l'évanouissement.
* Ne vous couvrez pas trop.
* Portez des chaussures adéquates.

* Faites des exercices de mise en train avant de commencer à courir.
* Accordez-vous suffisamment de sommeil.
* Alimentation équilibrée.
* Avant de commencer à suivre ce programme ou un autre d'activités physiques intenses, allez vous faire examiner par un médecin : check up complet.

Remèdes

Même si vous prenez toutes les précautions nécessaires, il y aura toujours une expérience fâcheuse à faire et cette expérience nous sera finalement précieuse. Souvent les problèmes se posent au niveau des multiples ligaments, muscles et os du pied. Donc commençons par eux.

Ampoules

Une méthode préventive bien connue consiste à s'enduire les pieds de vaseline pour diminuer les risques de frottement. Déplaisant mais efficace. Si ce conseil n'a pas été suivi, procédez comme suit : percez l'ampoule avec une aiguille stérile et faites sortir le liquide ; Mettez un pansement jusqu'à ce que l'ampoule soit complètement désséchée. Ensuite regardez attentivement vos chaussures pour voir s'il n'y a pas une rugosité qui serait la responsable. Essayez de mettre des chaussettes plus épaisses.

Callosités

Deux remèdes sont recommandés pour les callosités : une pierre-ponce ou la pédicure. Si vous optez pour la pierre-ponce, prenez d'abord un bain de pieds très chaud pour attendrir la peau puis frotter doucement la peau morte avec la pierre-ponce jusqu'à ce que la peau soit devenue bien lisse.

«L'orteil du coureur»

Plus laide à voir que douloureuse, cette affection des orteils est évitable : la partie qui se trouve sous l'ongle devient noire et il arrive que l'ongle tombe ; en général la cause en est un soulier trop serré.

«Morton's foot»

Assez répandue et facile à diagnostiquer cette légère infirmité du pied consiste en un second orteil plus grand que le gros orteil. Les implications sont multiples : on ne peut répartir le poids du corps sur l'ensemble du pied, d'où douleurs dans la voûte plantaire ou dans l'éminence métatarsienne. Cela peut provoquer également des maux de jambes et de dos. Il convient de consulter un bon podologue.

Douleurs aux chevilles

Très fréquentes chez les débutants. Essayez de courir sur une surface moins dure.

Tendinite (Tendons d'Achille)

Vous le verrez tout de suite car votre tendon d'Achille (derrière la cheville) s'enflamme et double de volume. Le plus léger contact est douloureux. La meilleure prévention réside dans les exercices de mise en train, d'échauffement ; le meilleur remède est de porter une talonnette et des chaussures à talons légèrement plus hauts que de coutume avec une semelle spéciale pour renforcer la voûte plantaire. Après la course, pour soulager la douleur, appliquez de la glace sur la zône en question ; cela réduira aussi l'enflure puis prenez un bain de pieds très chaud. Certains coureurs se bandent les chevilles ; en tout cas ralentissez votre allure pendant un certain temps, raccourcissez les distances et évitez les côtes.

Douleurs dans les mollets

Le surentraînement en est la cause ; réduisez le temps et la distance à parcourir.

Douleurs dans les tibias

C'est la conséquence du déséquilibre entre le développement des muscles des mollets et ceux situés sur le devant des tibias. Nous voici renvoyés aux exercices de mise en train ou d'échauffement destinés à développer les muscles antagonistes de ceux qui travaillent habituellement. Pour y remédier mettez des talonnettes ou portez des chaussures à talons plus hauts. Assurez-vous que ces chaussures sont suffisamment souples et que leurs semelles sont munies de coussins d'air. Évitez les côtes et tâchez de courir sur une surface moins dure ; ne vous penchez pas en avant en courant ; veillez sur votre posture ; ne courez pas sur les orteils.

«Le genou du coureur» ou chondromalcie

Cela arrive quand le cartilage de la rotule est si usé qu'il empêche le jeu normal de l'articulation. Cela provient en général d'un problème de structure, à savoir : Morton's Foot, une jambe plus longue que l'autre ou une jambe raccourcie du fait d'une raideur musculaire provoquée par un manque d'exercices compensatoires. Cela peut empirer si on court dans des chaussures mal adaptées ou sur un terrain accidenté. Les remèdes sont des semelles très rembourrées juqu'aux talonnettes et parfois à la chirurgie. Une bande élastique peut être utile pour maintenir le genou en place. Revenez à une étape antérieure dans votre programme de course.

Points de côte

C'est ennuyeux de souffrir d'un point de côte au moment où l'on commence à trouver son rythme et à progresser en vitesse. Hélas ! C'est votre organisme qui vous avertit qu'il faut ralentir. C'est la première mesure à prendre. Ensuite inspirez plusieurs fois très profondément. Cela passera. Au fur et à mesure que la forme physique s'améliore, les points de côte s'estompent.

Le coureur de marathon (Homme ou femme)

Pour courir le marathon, c'est à dire une course de grand fond, il y a des motifs évidents et d'autres qui le sont moins. Certaines personnes sont poussées par un vif esprit de compétition, elles aiment la course et même je dirai plus, elles adorent gagner. Pourtant bien des coureurs de marathon s'attendent peu à la victoire. Leur suprême espoir est de pouvoir mener la course à son terme dans un temps qui soit meilleur que dans les tentatives précédentes. Pour cette catégorie, les marathons représentent avant tout un défi qu'ils se jettent à eux-mêmes ; c'est un test qui se présente dans son cadre spécifique, un test qu'ils ne songeraient pas à affronter livrés à leurs propres moyens. Une course organisée vous donne la chiquenaude nécessaire, l'impulsion dont on a besoin pour se mesurer aux autres et à soi-même. Certains coureurs avouent que s'ils n'ont pas une perspective de ce genre, ils ne prêtent plus grand intérêt à leur entraînement. D'autres aiment l'aspect social de la compétition : c'est une bonne occassion de rencontrer des gens avec qui on partage le même amour de l'activité physique.

Est-ce que cet environnement vous convient ? Vous le découvrirez au premier essai ; quelle que soit votre décision, il est bon que vous sachiez qu'il y a de très bons coureurs qui ne font jamais de compétition. Ce renseignement vous servira si vous voulez tenter l'expérience.

Où trouver des épreuves de marathon ?

La section sportive de votre journal local doit informer des courses organisées. Tenez-vous au courant.

Il y a des clubs et des revues spécialisées. Informez-vous auprès des autres coureurs qui, en plus des indications sur le jour et le lieu, pourront aussi vous expliquer ce que vous pouvez en attendre.

Entraînement au marathon

La plupart des spécialistes vous diront que plusieurs semaines avant la course, il faut que vous parcouriez la même distance deux fois par semaine : par exemple si le parcours est de huit kilomètres, il faut que chaque semaine vous fassiez 16 kilomètres, divisés en deux courses de 8 kilomètres. Ne vous jetez pas brusquement dans cet entraînement. Rappelez vous que le dynamisme et la force d'un coureur sont le fruit d'un travail progressif ; si jusqu'à présent vous n'avez pas fait plus de 4 km 8 par jour, en cinq fois par semaine (ce qui fait en tout un parcours de 24 kilomètres) vous n'êtes pas encore mûr(e) pour un marathon de 8 km.

La relaxation est très importante durant la période d'entraînement. On a une tendance naturelle à rester tendu, surtout avant la première course ; habituez-vous à fermer souplement les mains, à entr'ouvrir les lèvres. Prenez un instant entre chaque kilomètre pour contrôler si vos mâchoires ne sont pas crispées.

Éliminez les éléments de surprise : parcourez le terrain sur lequel la course aura lieu. Familiarisez-vous avec la qualité du sol, les montées et les descentes.

Passez un petit peu plus de temps sur vos exercices de mise en train ou échauffement.

Précaution suggérée

Ne participez pas à un marathon avant d'être absolument conscient de vos limites en endurance sinon l'excitation de la compétition peut troubler votre jugement.

Stratégie

On a écrit des volumes sur la tactique à suivre ; mais ils sont destinés aux coureurs avancés ; les suggestions qui vont suivre sont destinées aux débutants :

1) Préparez tout votre équipement la veille de la course de peur que dans l'excitation des derniers moments vous n'oubliez quelque chose. Si, par exemple, vous oubliez votre serre-tête alors que vous êtes habitué à en mettre un, votre concentration pourra en souffrir.

2) Alimentez-vous très légèrement avant la course mais n'oubliez pas de boire plus que de coutume.

3) Ayez soin de vider votre vessie avant la course.

4) N'oubliez surtout pas vos exercices de mise en train.

5) Au départ choisissez-vous une place dans le peloton dont l'allure correspond à la vôtre

pour pouvoir aller à votre allure sans forcer le rythme. Ne démarrez jamais trop vite.

6) Établissez une cadence.

7) Restez décontracté ; rappelez-vous votre entraînement et contrôlez régulièrement votre attitude à la recherche des tensions.

8) Concentrez-vous sur la course.

9) Ne gaspillez pas vos forces à faire de grands gestes avec les bras et la tête. Gardez l'attitude que vous aviez pendant l'entraînement.

10) À l'approche du sommet d'une colline, il convient de donner le petit coup de collier et de profiter de la descente pour se reposer ; résistez à la tentation de foncer à la descente.

11) S'il y a du vent suivez de près un coucurrent qui vous servira de coupe-vent ; cela use les forces de courir contre le vent.

12) Courez moins vite quand il fait très chaud et économisez vos forces.

13) Franchissez la ligne d'arrivée avec des forces en réserve pour finir en beauté comme si vous aviez des ailes.

14) N'arrêtez pas brusquement. Comme pour vos séances de courses non compétitives, même si vous êtes fatigué, faites vos exercices de « refroidissement ».

Recommandation importante

Il n'y a pas de bons points prévus pour les gens qui abîment leur santé. Sachez quand il convient de vous arrêter ; tous les coureurs ont de bons jours et des mauvais ; si vous ne vous sentez pas en forme et que votre corps crie « stop ! » NE CONTINUEZ PAS À COURIR.

Un mot pour conclure

Il y a sûrement une autre motivation que le désir d'une bonne forme physique pour pousser les gens à faire de la course à pied. Sinon pourquoi donc des hommes et des femmes par ailleurs sains d'esprit, s'en iraient-ils courir régulièrement dans la boue et la neige, qu'il vente ou qu'il pleuve, alors qu'ils pourraient si facilement s'exercer en salle ? Et pourquoi couriraient-ils trente, quarante, soixante, kilomètres alors qu'il leur suffirait d'en faire seize pour jouir d'une parfaite condition physique ?

Quand vous aurez couru pendant quelques mois vous connaîtrez par expérience la réponse. La course à pied est aussi bonne pour le mental, aussi bénéfique pour l'esprit, aussi exaltante pour l'émotivité, qu'utile à la santé.

Recommandation finale

Gare à la « coursomanie ! »

songes
et
présages
Connaître la signification des rêves.

3.95

ÉDITIONS SÉLECT

3.95

ÉDITIONS SÉLECT

Composition : Gervic inc.,

IMPRIMÉ AU CANADA